D1287577

Suivi éditorial : Amélie Pont et Astrid Dumontet
Conception graphique : Emma Rigaudeau
Mise en pages : Agathe Farnault
Photogravure : MPP

www.editionsmilan.com

ISBN: 978-2-7459-6021-4 – Dépôt légal : 3ᵉ trimestre 2014 – Imprimé en Chine

les Égyptiens

Textes de **Sophie Lamoureux**
Illustrations de **Charline Picard**

MILAN

Qui sont les Égyptiens ❓

Les Égyptiens sont les habitants de l'Égypte, un pays situé sur le continent africain. Ceux dont nous parlons ici sont leurs ancêtres de l'Antiquité. Leur histoire a commencé il y a plus de 5000 ans et a duré 3000 ans !

Au début de cette période, qu'on appelle l'**Égypte antique** ou **ancienne**, les Égyptiens construisent d'incroyables monuments : les pyramides. Elles sont devenues le symbole de cette époque.

Les Égyptiens sont parmi les premiers hommes à utiliser l'**écriture**, sous la forme de dessins appelés « hiéroglyphes ». Ils possèdent aussi de grandes connaissances scientifiques, en particulier en mathématiques.

L'Égypte ancienne est aussi le **temps des pharaons**, ces rois tout-puissants qui ont régné sur le pays. Ils ont été plus de 200 à se succéder. C'est la chute du dernier pharaon qui a marqué la fin de l'Égypte ancienne.

Que connaissons-nous de cette époque ?

On sait beaucoup de choses sur les anciens Égyptiens grâce aux objets et aux peintures découverts. Les peintures représentent des scènes de la vie des Égyptiens. Les égyptologues, archéologues spécialistes de l'Égypte, étudient cette époque de l'histoire.

Comment font-ils pour habiter dans le désert ?

L'Égypte est un grand pays, presque deux fois plus grand que la France ! Mais la majorité de son territoire est recouvert par le désert, et donc inhabitable. Heureusement, il y a le Nil !

Le Nil est un des fleuves les plus longs du monde ! Il traverse toute l'Égypte. Dans l'Antiquité, les Égyptiens s'installent sur ses rives, car c'est grâce à son eau si la vie est possible. Pour eux, le Nil est un **cadeau des dieux** !

Chaque année, de juillet à octobre, le Nil déborde et inonde la vallée. C'est la **crue**. Sur son passage, le fleuve dépose une boue très fertile qui nourrit la terre et permet aux cultures de pousser facilement.

Grâce au Nil, l'**agriculture** est la première richesse de l'Égypte. Les Égyptiens sont presque tous paysans. Ils cultivent des céréales, des plantes (salades, concombres, pastèques...) et même le lin pour tisser les vêtements.

Le fleuve est essentiel pour se déplacer, transporter les récoltes dans d'énormes bateaux. Les Égyptiens **échangent** ainsi des produits avec les pays voisins.

Se baignent-ils ?

Les Égyptiens puisent de l'eau dans le Nil pour leur toilette, mais ne s'y baignent pas : gare aux crocodiles ! Pour pêcher, ils utilisent de petites embarcations en tiges de roseau ou de papyrus. Le Nil regorge de poissons : anguilles, carpes, mulets, perches...

9

Comment vivent les anciens Égyptiens ?

La société de l'ancienne Égypte ressemble à une pyramide : tout en haut, il y a le roi, puis les prêtres et les scribes (ceux qui savent écrire), les soldats, les artisans, puis les paysans. Il y a beaucoup de pauvres et peu de riches !

Les paysans sont les plus nombreux : 9 Égyptiens sur 10 ! Ils travaillent dur dans les champs pour nourrir tout le pays. Et pourtant, ils sont pauvres et leurs maisons sont toutes petites. Les **artisans** et les **soldats** vivent un peu plus confortablement.

Au-dessus d'eux, les **scribes** et les **prêtres** forment un petit groupe privilégié. Ils sont plus riches et vivent dans de belles villas avec des jardins. Certains ont même des serviteurs.

Le **pharaon** possède plusieurs palais, magnifiques et richement décorés. Ils comptent de grandes salles à colonnes et des pièces plus petites pour loger tous ceux qui vivent là : ses femmes et ses enfants, et tous les serviteurs.

C'est quoi un pharaon ?

L'Égypte ancienne est dirigée par un roi, le pharaon. Pour les Égyptiens, il est le fils des dieux ! Il est donc adoré, même s'il n'a que 9 ans, comme Toutankhamon quand il devient pharaon.

Entouré de conseillers, le pharaon décide de tout dans son pays, comme par exemple faire la **guerre** pour gagner plus de terres et de richesses. À l'inverse, il doit aussi protéger son pays contre les attaques des peuples voisins.

Toutes les terres d'Égypte appartiennent au pharaon. Il contrôle donc les terres cultivées et surveille les **récoltes** pour s'assurer que les Égyptiens aient toujours de quoi manger et que les paysans payent bien leurs impôts !

Le pharaon est le **chef de la religion** et il est le seul à pouvoir entrer en contact avec les dieux. Il veille à les satisfaire par des offrandes et des cérémonies en leur honneur. Ainsi, les dieux se montrent bienveillants avec l'Égypte et son peuple.

À quoi ressemble un pharaon ?

Lors de ses apparitions publiques, il porte une longue barbiche. Il est coiffé d'une couronne ou d'une coiffe rayée, le némès, avec un bijou en forme de cobra. Dans ses mains, il tient la crosse et le fouet comme un berger : son troupeau, c'est son peuple, qu'il guide et protège.

13

Les Égyptiens ont-ils tous des tresses ?

Les anciens Égyptiens prennent grand soin d'eux et de leur apparence. Ils se maquillent, portent des perruques, se parfument et s'habillent avec des vêtements légers qui laissent voir le corps.

Les Égyptiens riches portent souvent des **perruques** sur leur crâne rasé : courtes ou longues, lisses ou composées de centaines de tresses. Lors des fêtes, les femmes déposent dessus un cornet de graisse parfumée pour sentir bon !

Les femmes, les hommes et les enfants **se maquillent** tous les jours. Ils soulignent leurs yeux d'un long trait noir ou vert qui s'étire jusqu'aux tempes.

Les nobles aiment porter beaucoup de **bijoux** :
des bracelets aux poignets et aux chevilles,
des bagues... en or et en pierres précieuses.
Les moins riches aussi, mais leurs colliers sont
en coquillages et leurs perles, en terre cuite !

Les **robes** des femmes
sont longues et proches
du corps. Les hommes, eux,
portent un simple **pagne**
en lin blanc et laissent
leur torse découvert.
Souvent, les enfants
se promènent nus !

Les Égyptiens vivent-ils dans les pyramides ?

Les pyramides sont les tombes des pharaons. Parfois hautes comme des immeubles de 40 étages, elles forment un grand escalier pointé vers le ciel. Elles sont censées permettre à l'âme du pharaon de rejoindre les dieux après sa mort.

À l'intérieur de la pyramide, une **chambre funéraire** abrite la momie du pharaon. Dans les autres pièces et nombreuses galeries, des meubles, des bijoux, des vêtements sont déposés : le pharaon ne doit manquer de rien lors de sa seconde vie.

Après avoir construit des pyramides pendant 1 500 ans, les pharaons y renoncent car elles attirent trop les voleurs. Ils préfèrent faire creuser leurs tombes en cachette dans les montagnes, dans un lieu que l'on appelle la **Vallée des Rois**.

La grande pyramide de **Gizeh**, construite par le pharaon Kheops, est aujourd'hui la mieux conservée. Elle est classée comme l'une des Sept Merveilles du monde antique.

A-t-on trouvé des trésors dans les pyramides ❔

À cause des pillages, on a retrouvé peu de trésors dans les pyramides. Le plus grand trésor découvert est celui du pharaon Toutankhamon. Dans sa tombe, on a trouvé deux tonnes d'or ! Des bijoux, des statues, des vases étaient placés autour du jeune roi.

Comment les pyramides sont-elles construites ?

La construction des pyramides reste un mystère. Les Égyptiens de l'époque n'ont ni grues, ni roues, ni poulies. Pourtant, ils ont réussi à construire des chefs-d'œuvre encore debout aujourd'hui.

C'est l'architecte **Imhotep** qui imagine la première pyramide vers 2700 avant Jésus-Christ. Il est à la fois mathématicien, astrologue, philosophe, médecin… Il a besoin de toute cette science pour faire tenir droit ce curieux monument pointu !

Les Égyptiens vont chercher les **pierres** des pyramides dans des carrières lointaines. Ils les chargent sur des bateaux du Nil, puis les tirent sur des sortes de traîneaux jusque dans le désert. Il faut dix hommes pour tirer un seul bloc de pierre !

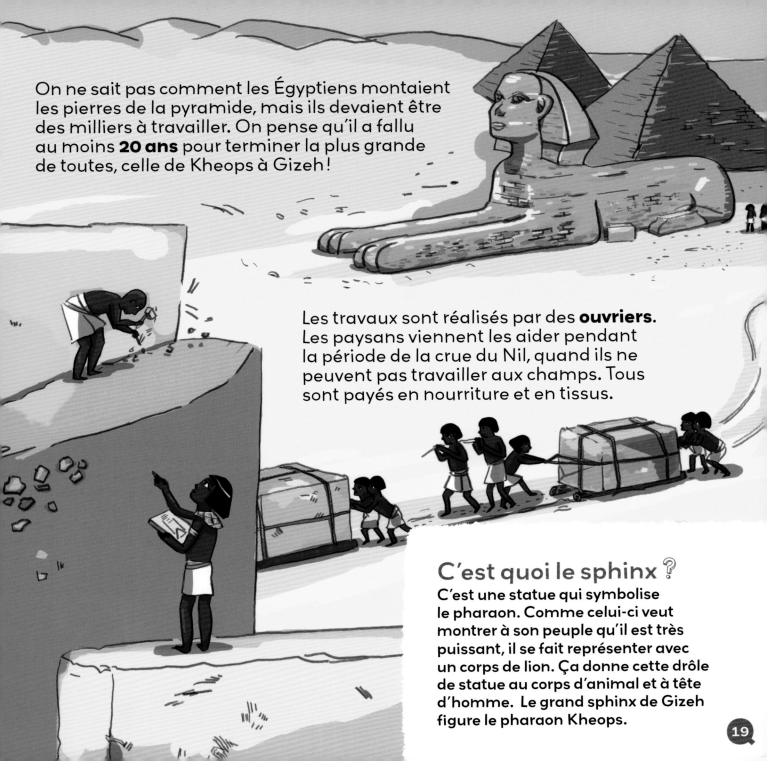

On ne sait pas comment les Égyptiens montaient les pierres de la pyramide, mais ils devaient être des milliers à travailler. On pense qu'il a fallu au moins **20 ans** pour terminer la plus grande de toutes, celle de Kheops à Gizeh !

Les travaux sont réalisés par des **ouvriers**. Les paysans viennent les aider pendant la période de la crue du Nil, quand ils ne peuvent pas travailler aux champs. Tous sont payés en nourriture et en tissus.

C'est quoi le sphinx ?

C'est une statue qui symbolise le pharaon. Comme celui-ci veut montrer à son peuple qu'il est très puissant, il se fait représenter avec un corps de lion. Ça donne cette drôle de statue au corps d'animal et à tête d'homme. Le grand sphinx de Gizeh figure le pharaon Kheops.

Cléopâtre
a-t-elle un grand nez ?

Cléopâtre est la femme pharaon la plus célèbre. Sa vie et ses amours ont fait le tour du monde jusqu'à aujourd'hui. On dit que si son nez n'avait pas été aussi joli, l'Histoire aurait été bien différente. Mais on ne sait pas à quoi elle ressemblait vraiment.

Cléopâtre VII est l'une des rares « femmes pharaons ». Elle est aussi le dernier pharaon d'Égypte puisque c'est sous son règne que le pays est vaincu par Rome et devient une simple province romaine.

Pour empêcher Rome de s'emparer de l'Égypte, Cléopâtre séduit le célèbre général romain **Jules César**. À la mort de celui-ci, Cléopâtre charme un autre général romain, **Marc Antoine**. Ils ont trois enfants ensemble.

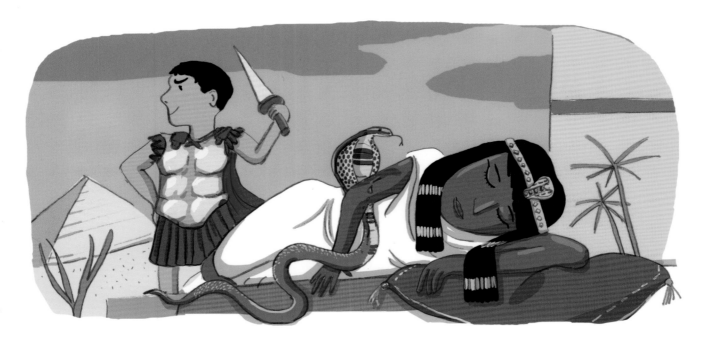

Cléopâtre et Marc Antoine sont finalement vaincus par leur grand ennemi romain : **Octave**. Les deux amants préfèrent mourir plutôt que de se rendre. Cléopâtre choisit de se faire piquer par un **serpent**.

Normalement, une femme ne peut devenir pharaon. Pourtant, l'Égypte a eu cinq **femmes pharaons**, et toutes avaient de forts tempéraments ! Elles ont pu régner parce qu'il n'y avait pas de garçon pour succéder au pharaon mort ou qu'il était trop jeune pour diriger le pays.

Les momies hantent-elles les pyramides ⸮

Pour les Égyptiens, après la mort, il y a une deuxième vie! Cette vie éternelle auprès des dieux n'est possible que si le corps se conserve. Pour le conserver, les Égyptiens ont recours à la momification.

Lorsqu'ils récupèrent le corps du mort, les **prêtres-embaumeurs** enlèvent le foie, les poumons... et le cerveau. Puis ils plongent le corps dans une sorte de sel pendant 70 jours. Ils l'entourent ensuite de bandelettes de lin pour garder sa forme.

La momie est déposée dans un cercueil : le **sarcophage**. Plusieurs peuvent être emboîtés les uns dans les autres. La momie de Toutankhamon était protégée par trois sarcophages successifs, en bois, en or et en pierres précieuses.

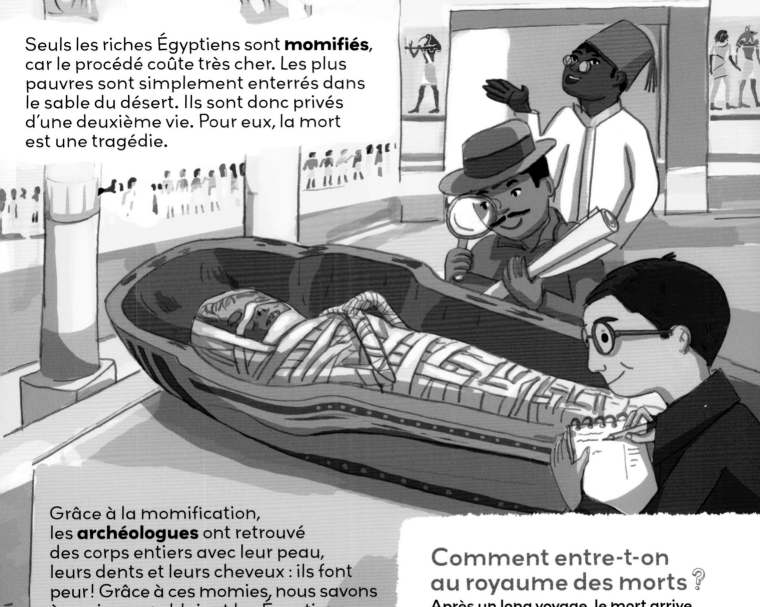

Seuls les riches Égyptiens sont **momifiés**, car le procédé coûte très cher. Les plus pauvres sont simplement enterrés dans le sable du désert. Ils sont donc privés d'une deuxième vie. Pour eux, la mort est une tragédie.

Grâce à la momification, les **archéologues** ont retrouvé des corps entiers avec leur peau, leurs dents et leurs cheveux : ils font peur ! Grâce à ces momies, nous savons à quoi ressemblaient les Égyptiens. La plus vieille découverte à ce jour date de 5 000 ans !

Comment entre-t-on au royaume des morts ?

Après un long voyage, le mort arrive devant le dieu Osiris. Il ne peut entrer dans le paradis que s'il a été bon sur terre. Pour le savoir, les dieux pèsent son cœur : s'il est aussi léger qu'une plume, c'est que le défunt a été bon, il peut gagner sa vie éternelle.

Ont-ils des animaux de compagnie ?

Les Égyptiens ont été parmi les tout premiers à apprivoiser les chats. On en retrouve représentés un peu partout : sur les sarcophages, les murs des monuments, sur des bijoux, des statues.

En **chassant** les serpents et les rats qui grignotent les sacs de grains, les chats rendent de précieux services aux habitants.

De riches Égyptiens demandent que leur chat favori soit momifié en même temps qu'eux pour ne jamais en être séparés. Ils pensent que les chats les protègent, puisque la déesse **Bastet**, protectrice des femmes et des enfants, est présente dans tous les chats.

Chaque temple, où les Égyptiens viennent prier les dieux et les déesses, a ses propres chats sacrés, veillés par un « **gardien des chats** ». Ces chats sont considérés comme des dieux sur pattes !

Les Égyptiens possèdent des chiens pour chasser et monter la garde. Ils **élèvent** aussi toutes sortes d'animaux pour leur viande : des moutons, des bovins, des porcs, des chèvres, des oies, des poules...

Est-ce qu'ils mangent des crocodiles ?

Le pain est sur toutes les tables. Mais les Égyptiens pauvres mangent beaucoup de poisson pêché dans le Nil, alors que les riches l'évitent et préfèrent la viande.

Les crocodiles et les hippopotames vivent dans le Nil, mais ne sont pas au menu des Égyptiens. Les **crocodiles**, par contre, aiment croquer les jeunes veaux et les imprudents qui s'aventurent dans les marais.

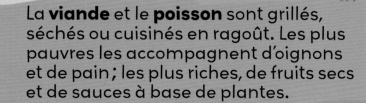

La **viande** et le **poisson** sont grillés, séchés ou cuisinés en ragoût. Les plus pauvres les accompagnent d'oignons et de pain ; les plus riches, de fruits secs et de sauces à base de plantes.

Tous les Égyptiens boivent de la **bière**. Mais les jours de fête, les plus riches préfèrent le **vin**. Ils l'apprécient beaucoup et cultivent la vigne dans leurs jardins.

Où font-ils leurs courses ❓

Du pain contre de la vaisselle, des légumes contre un panier... Comme la monnaie n'existe pas encore, les Égyptiens échangent leurs produits sur les marchés. Ceux-ci sont installés près des ports ou sur des places, aussi bien dans les villages que dans les grandes cités d'Égypte.

Pourquoi les Égyptiens ont-ils plusieurs dieux ?

Les dieux et les déesses des Égyptiens sont très nombreux : plus de 700 !
Il y a un dieu pour chaque élément de la nature et chaque chose : Rê
(dieu du soleil), Thot (dieu de l'écriture), Hathor (déesse de la danse)...

Pour comprendre leurs origines, les anciens habitants de l'Égypte n'ont pas la science d'aujourd'hui ! Alors les prêtres racontent des **légendes** qui expliquent comment les dieux ont créé la terre et les hommes.

Pour les Égyptiens, les dieux sont partout et même dans les **animaux** ! Voilà pourquoi ils les représentent avec des têtes d'animaux. Rê, le dieu du soleil, apparaît avec une tête de faucon et Sobek, le dieu des eaux, a une tête de crocodile.

Les dieux forment de nombreuses familles : par exemple,
Osiris (le dieu des morts adoré dans toute l'Égypte) est
le fils de **Geb** (le dieu de la terre) et de **Nout** (la déesse
du ciel) et le frère d'**Isis**, déesse protectrice.

Les Égyptiens **prient** chaque
jour les dieux car ils pensent
qu'ils contrôlent tous les
événements. Les temples,
bâtis pour eux sur ordre
du pharaon, sont leurs
palais et les prêtres
sont leurs serviteurs.

Pourquoi les Égyptiens dessinent-ils des rébus ?

Les Égyptiens ont inventé une écriture faite de petits dessins d'animaux, d'objets, de plantes, qui forment des phrases complètes. Ces petits dessins, ce sont les hiéroglyphes.

Certains dessins correspondent à une ou plusieurs lettres de notre alphabet. Dans ce cas, ils retranscrivent un son. Mais ils peuvent aussi représenter une idée. Par exemple, le **hiéroglyphe** en forme d'œil peut représenter un mot (l'œil), un son (ir) ou une idée (voir, la vue).

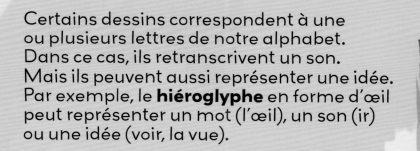

Il existe plusieurs milliers de hiéroglyphes ! Seuls les **scribes** savent tous les écrire. Leurs textes décrivent le quotidien des Égyptiens et nous permettent, aujourd'hui, de connaître la vie dans l'ancienne Égypte.

Pendant des siècles, personne n'a percé le mystère des hiéroglyphes. C'est en déchiffrant les textes d'un morceau de granite noir découvert en 1799 à Rosette, près d'Alexandrie, que le Français **Jean-François Champollion** a traduit les hiéroglyphes.

Écrivent-ils sur du papier ?

Les scribes tracent les hiéroglyphes sur des tablettes d'argile ou sur des rouleaux de papyrus. Ces rouleaux sont fabriqués à partir du papyrus, une plante qui pousse sur les rives du Nil. Pour écrire, ils utilisent des roseaux taillés en pointe, qu'ils trempent dans de l'encre noire.

Les Égyptiens aiment-ils s'amuser ?

Dès qu'ils ont du temps libre, les Égyptiens se divertissent. Ils aiment tellement leurs jeux de société qu'ils les emportent dans leurs tombes !

Les parents les plus riches offrent à leurs enfants des **jouets** proches de ceux d'aujourd'hui : des hippopotames ou des crocodiles à roulettes, des toupies, des hochets, des poupées, des balles...

Plus grands, les enfants aiment les jeux d'adresse et d'équilibre. Ils jouent aussi avec leurs parents à des **jeux de société** comme le *senet* (sorte de jeu de l'oie).

Les Égyptiens aiment organiser des fêtes. Et pas de fête sans **musique** ! Des musiciens sont toujours présents lors des banquets. Ils divertissent les invités en jouant de la harpe, du luth...

Quand ils ne travaillent pas, les hommes partent à la **chasse** ou à la **pêche**, pratiquent la lutte ou se reposent dans leur jardin. Pour se divertir, le pharaon chasse le lion dans le désert.

Les enfants vont-ils à l'école ?

Dans l'ancienne Égypte, peu d'enfants vont à l'école. Seuls les jeunes de la noblesse apprennent à lire, à écrire et à compter.

Lorsqu'un enfant naît dans une famille de paysans, il **devient** paysan. Si son père est scribe ou prêtre, il le sera aussi. Pour tous, il semble naturel de poursuivre l'activité de son père.

Les enfants vont à l'école pour apprendre les **métiers** de scribe (celui qui sait écrire), de médecin ou de prêtre. Les princes et les princesses sont éduqués à la cour par un précepteur (un professeur). Les autres apprennent dans des écoles : les « maisons de vie ».

À part les princesses, les **filles** ne vont pas à l'école. Les femmes sont bien considérées, mais sans être les égales des hommes. Elles apprennent certains métiers comme sage-femme, marchande, musicienne, danseuse.

Qu'apprend le jeune pharaon ❓

Le jeune roi n'a pas besoin d'apprendre à écrire aussi bien que les scribes. Les conseillers qui l'entourent savent le faire à sa place ! On lui demande d'être fort en exercices physiques : savoir se battre, conduire un char... pour devenir le meilleur des guerriers.

Pourquoi les Égyptiens se dessinent-ils toujours de profil ❓

Au service des dieux et du pharaon, la peinture et la sculpture tiennent une place essentielle en Égypte ancienne. Les artistes doivent suivre des règles strictes et reproduisent des modèles.

Les **sculpteurs** taillent des statues, petites ou immenses, en pierre, en bois ou en ivoire. Les **peintres** couvrent de scènes détaillées les murs des palais, des temples et des pyramides. Les **orfèvres** réalisent des bijoux...

Les artisans travaillent pour rendre **hommage** à la puissance du pharaon : ils ne sont donc pas libres de créer ce qu'ils veulent. Ainsi, dans les œuvres, le pharaon doit toujours apparaître comme le plus grand et le plus musclé.